아시아장애인공동시집 3-2020 [한국·일본 편]

アジア障がい者共同詩集 3-2020 [韓国·日本編]

우리가 바다 건너 만난 것은
私たちが海を渡って出会ったのは

최명숙·호리에 나오코 외·번역 코마츠 에리코

チェ·ミョンスク·堀江菜穂子ほか·翻訳 小松絵理子

보리수아래 엮음

菩提樹の下 編

세 번째 아시아장애인공동시집을 내며

코로나19로 세계가 마비된 상황에서 한국과 일본의 장애시인들이 아시아장애인공동시집을 내게 되었습니다.

아시아장애작가들의 국제교류를 위해 시작하여 2017년에 미얀마와 2018년 베트남에 이어 세 번째로 일본작가들과 하게 되었습니다.

코로나19의 어려움을 극복하고 밭에 씨를 뿌려 가꾸듯 준비한 과정을 거쳐 아름다운 시집을 내게 되었습니다. 「우리가 바다 건너 만난 것은」 이란 시집의 제목 속에는 소중한 만남의 의미를 담았습니다.

이번 일본시인들과의 교류와 공동시집의 출간은 장애인들의 재능과 잠재력을 개발하여 역량을 강화시켜주는 역할을 해 줄 것입니다. 앞으로 아시아장애인들이 서로 의미 있고 아름다운 교류를 하도록 노력하겠습니다.

좋은 작품을 내준 일본의 호리에 나오코 시인과 우에
다 시게루 시인, 한국의 김소영 시인, 유재필 시인,
장효성 시인, 정상석 시인, 홍현승 시인, 작가 섭외
에 애써주신 김동욱 선생님과 번역해주신 코마츠 에
리코님께 깊은 감사를 드립니다.
그리고 시집 발간에 지원을 해주신 문화체육관광부
와 한국장애인예술원에도 깊은 감사를 드립니다.

2020년 11월
보리수아래 대표 최명숙

3回目のアジア障がい者共同詩集の発刊によせて

新型コロナウイルス感染症で世界中が機能しなくなった状況で、日本と韓国の障がいを持つ詩人たちがアジア障がい者共同詩集を発刊することになりました。

アジアの障がいを持つ作家たちの国際交流からはじまり、2017年にミャンマー、2018年のベトナムに続き、3回目の今回は日本の作家たちと行うことになりました。新型コロナの困難を克服し、畑に種をまいて育てるように準備した過程により、美しい詩集ができあがりました。「私たちが海を渡って出会ったのは」という詩集のタイトルの中に、大切な出会いの意味を込めました。

この度の日本の詩人たちとの交流と共同詩集の出版は、障がい者たちの才能と潜在能力を開発し、更なる力強さを与える役割を担ってくれることでしょう。これからもアジアの障がい者たちが、お互いに

意味のある交流ができるように努力していきます。
すばらしい作品を出してくれた日本の詩人、堀江菜穂子氏と上田滋氏、韓国の詩人であるキム・ソヨン氏、ユ・ジェピル氏、チャン・ヒョソン氏、チョン・サンソク氏、ホン・ヒョンスン氏、作家との交渉に尽力してくださったキム・ドンウク氏と翻訳をしてくださった小松絵理子氏に深く感謝いたします。
そして詩集の発刊を支援してくださった文化体育観光部と韓国障がい者芸術院にも深く感謝いたします。

2020年 11月

菩提樹の下 代表 チェ・ミョンスク

감동과 희망이 담긴 시집 발간을 축하하며

2020년 아시아 장애인 공동시집(한국-일본) 발간을 축하드립니다.

코로나19라는 바이러스로 우리의 삶은 예전과 달라지고 모두 어려운 상황 속에서 새로운 환경에 적응하고 있습니다. 장애를 가진 불자님들에게는 더욱 어려운 상황일 것입니다. 이런 상황에서도 희망을 놓지 않고 문화예술의 교류로 서로 위로하는 아름다운 모습에 마음이 따뜻합니다.

부처님의 제자인 아난이 부처님께 '도반과 수행의 관계'에 대해 묻자, 부처님께서는 '도반은 수행의 전부'라고 말씀하신 바 있습니다. 시작(時作)을 통해 고난의 시기를 지혜롭게 헤쳐 나가는 한국과 일본의 작가님들은 좋은 도반입니다. 미얀마, 베트남에 이어 일본의 작가님들과의 교류를 통해 어려운 여건에서도 시집을 번역·출간하신 여러분들의 원력에 깊이 감사드립니다.

수처작주(隨處作主) 입처개진(立處皆眞)이라는 말이 있습니다. 어디에 있건 주인공으로 살면 바로 그 자리가 깨달음의 자리라는 뜻입니다. 언제 어디서나 늘 진실하고 주체적으로 살아간다면 하루하루가 즐겁고 기쁜 일일시호일(日日是好日)입니다.

이 시집에 실린 시(詩)는 우리의 마음을 빛으로 채우는 감동과 희망이 되고, 평화가 될 것입니다. 또한, 지속적인 교류활동으로 국제교류의 장을 넓히면서 좋은 시들이 아시아 국가에 널리 알려지기를 기대합니다. 그 길을 진심으로 응원합니다.

따뜻한 감동과 희망이 담긴 시집 발간을 다시 한번 축하드립니다. 감사합니다.

대한불교조계종 포교원

원 장 지 홍

お祝いの文1

感動と希望が込められた詩集発刊を記念して

2020年アジア障がい者共同詩集(韓国-日本)の発刊、おめでとうございます。

新型コロナというウイルスで、私たちの生活は以前とは異なり、すべてが難しい状況の中で新しい環境に適応しようとしています。障がいを持つ仏教徒の方々にとっては、より困難な状況かもしれません。このような状況でも希望を捨てず、文化芸術の交流で互いに慰め合う美しい姿が心に響きます。

お釈迦様の弟子である阿難がお釈迦様に「道伴と修行の関係」について尋ねると、お釈迦様は「道伴は修行のすべて」とおっしゃいました。時作を通して苦難の時期を賢く乗り越えていく日本と韓国の作家さん方はすばらしい道伴です。ミャンマー、ベトナムに続き、日本の作家の皆様との交流を通じて、厳しい環境の中でも詩集を翻訳・出版された皆様のご尽力に深く感謝申し上げます。

「随処作主」、「立処皆真」という言葉があります。どこにいても主人公として生きることは、まさにその場所が悟りの場だという意味です。いつ、どこでも、いつも誠実に主体的に生きていけば、一日一日が楽しくて嬉しい日日是好日です。

この詩集に寄せられた詩は私たちの心を光で満たす感動と希望となり、平和となるでしょう。また、継続的な交流活動により国際交流の場を広げることで、素晴らしい詩がアジアの国々に広く伝わっていくことを期待します。その道を心から応援します。

あたたかい感動と希望が込められた詩集の発刊を、今一度お祝い申し上げます。

大韓仏教曹渓宗布教院

院長　至　弘

축하의 글 2

시와 함께 여행을 하며

올해도 어김없이 보리수아래에서는 시로 국제교류를
한다. 내가 알고 있기론 한일 장애문인 공동시집을
발간하는 사업은 보리수아래가 유일하다.

호리에 나오코의 시 〈북쪽에서 들리는 소리〉에서 '꼭
좋은 나라가/어딘가에 있다고 생각하지만/희망의 나
라를 찾을 수 없어요/좋은 나라는 어디에 있습니까'
라며 좋은 나라가 어디에 있느냐고 묻는 싯귀에 어
려운 현실을 탈출하려는 소망이 간절히 묻어난다.

우에다 시게루의 시 〈도구〉에서는 비장애인도 할 수
없는 일이 많아서 도구를 만드는데 장애 때문에 못하
는 것이 있는 것이 이상하지 않기에 자신은 장애인이
라고 말하지 않겠다고 다짐한다. 공감이 된다.

 그리고, 한국 시인들의 시는 시적 감성, 시의 구조
그리고 주제 등에서 흠잡을 것이 없다.

회장을 맡고 있는 최명숙시인의 〈심검당 살구꽃〉을 읽으면서 어느덧 심검당 뜰에 와있었다.

-스님은 어디 가셨는지 살구꽃만 져서/심검당 뜰이 온통 하얀데/바람은 꽃잎을 떨구고 어디로 갔나/꽃은 지는데 아무도 없다-

그 모습이 동영상을 보듯이 선명하고 시인은 바람이 어디 갔느냐고 찾지만 장난치듯 내 볼을 스치고 숨어버린다. 인간의 오감을 모두 열리게 하는 작품이다.

이런 저력이 있어서 어려운 여건 속에서도 보리수아래를 잘 이끌어가고 있다는 것을 알 수 있다.

일본과 한국의 장애시인들의 작품을 두 나라 언어로 번역 소개하니 좋은 시로써 두 나라를 여행하는 것이 될 것이다.

사)한국장애예술인협회
대 표 방 귀 희

詩と共に旅をしながら

今年も菩提樹の下では、詩で国際交流を行う。私が知っている限りでは日韓障がい文人共同詩集を発刊する事業は菩提樹の下だけだ。

堀江菜穂子氏の詩「きたからのこえ」のなかに、

きっといいくにが どこかにあるとおもうのですが きぼうのくには みつかりません いいくには どこにありますか

とつづっており、良い国がどこにあるかを問う詩に、厳しい現実から抜け出したいという願いが切実ににじみ出ている。

上田繁氏の詩「道具」では、健常者もできないことは多く、道具を作る時に障害のせいでできないことがあることは不思議ではないので、自分は障がい者だ、とは言わないと誓う。共感できる。

そして、韓国の詩人たちの詩は詩的感性、詩の構造、そしてテーマなどが際立っていた。

詩人、チェ・ミョンスク氏の「尋剣堂杏の花」を読

みながら、いつの間にか尋剣堂の庭にいた。

僧侶はどこへ行ったのか杏の花だけ散って / 尋剣堂の庭一面は白いのに / 風は花弁を落としどこへ行ったのか / 花は散り誰もいない

その姿が動画を見るかのように鮮明で、詩人は「風はどこに行ったのか」と探しているが、いたずらをするかのように私の頬をかすめて隠れてしまう。人間の五感をすべて開かせる最高の作品だ。このような底力があるからこそ、厳しい環境の中でも菩提樹の下をうまく引っ張っておられることが分かる。

日本と韓国の障がいを持つ詩人たちの作品をお互いの言葉に翻訳し、良い詩として紹介している。読めば両国を旅することになるだろう。

社団法人 韓国障がい芸術家協会

代 表 バン・グィヒ

스무 살 되는 날에

호리에 나오코(堀江菜穂子)

스무 살 되는 날에 나는 살아있다.

고칠 수 없는 장애를 안고 태어나
나는 스무 살까지 살 수 없는 것으로 여겨졌었다.
그런 나에게 부모님은
연민과 속죄를 안고
헤아릴 수 없는 애정을 주셨다.

이 집에서 유일한 외동딸은
가족 모두로부터 사랑받고 성장했다.
성장하면서
자신이 사람들과 다르다는 것을 깨닫기 시작했다.
다른 아이들이
당연하게 할 수 있는 것이
나는 무엇 하나도 할 수 없었기 때문에
나는 나 자신과 가족을 원망했다.
어떤 이유로 나 혼자만이
이런 몸인지
그것만 생각하고 있었다.

나의 마음은 그것들로 가득 차서
그리고 중학생 즈음에
산산이 부서졌다.
나의 마음에 여러 사람의 내가 태어났다.
나의 인격은
나만의 것이 아니게 되어 버렸다.
나지만 내가 아닌
너무나 혼란스러운 날들이 계속되었다.
그러던 어느 날 글을 쓰는 것을 배웠다.
나에게 있어서 글을 쓴다는 것은
지금까지 할 수 없었던 것
무엇보다 더한 기쁨이었다.
글을 쓸 수 있게 되고 내가 아닌 인격은
나로서 드러났다.
그것은 본래의 나로서는
무서운 공포였다.
부모님은 다른 인격의 내가 쓴 것을
나의 언어로서 받아들였다.
그것은 나로서는
부모님이 배신한 것과 같았다.
어떻게 해서든
지금의 나를 알아주기를 바랐지만
그러지 못한 날들이 계속되었다.

어느 날 장애를 가진 사람의 시가 노래가 되고
사람들에게 널리 알려진다는 뉴스를 들었다.
이거라는 생각이 들었다.
자신의 시를 써서 말하면
다른 인격도 알지 못할 것이다.
그렇게 생각한 그날부터
나의 시에 나의 이름으로 서명을 하고
다른 인격에게는 다른 이름으로 서명을 했다.
그렇게 하자 나의 시는 인격에 따라
확실하게 차이가 드러났다.
공격적인 인격
어린아이 같은 인격
그리고 나 자신의 인격
전부 나였지만 내가 아니기도 했다.
시를 쓰게 되면서
터질 것 같은 마음이 해방되어 갔다.
몇 편이고 계속 써서 텅 비게 되고
또 금방 가득 찼다.
그것이 반복되어서 나는
다른 인격과
사귀는 법을 알게 되었다.
시를 쓰면 상대방이 보이기 시작했다.
그리고 어느 날 다른 인격들을 가두었다.

그것은 완벽한 나 자신의 승리였다.

나는 이제 한 사람의 인격으로 살고 있다.
그것은 많은 시를 이어오면서
마음을 자신이 파악할 수 있기 때문이다.
지금 스무 살 되는 날을 맞을 수 있는 것은
헤아릴 수 없는 애정으로 감싸주었던
부모님의 덕분이었음은 물론이고
수많은 시가 나를
살려주었기 때문이다.
시는 내가 지금의 내가 되기 위한
소중한 길이었다.
시를 쓴다는 것은
나 자신을 해방하는 행위였다.

나의 시를 읽는 모든 사람이
내가 다시 일어선 것처럼
포기하지 않고 살아가길 바란다.

※ 축하의 글을 대신하여 이 시를 싣습니다.

はたちのひに

堀江菜穂子

はたちのひ わたしはいきていた

うまれたときに おもいしょうがいをおってしまい
わたしは はたちまでいきられないだろうといわれていた
そんなわたしを りょうしんは
ふびんさと もうしわけなさをもって
たくさんのあいじょうをそそいでくれた

このいえで ゆいいつのひとりむすめは
かぞくみんなからあいされて せいちょうした
おおきくなるにつれ
じぶんが 人とはちがうことにきがつきはじめた
ほかのこどもたちが
あたりまえにできていることが
じぶんにはなにひとつ できなかったからだ
わたしは じぶんとかぞくをうらんだ
どうして じぶんばかりが
こんなからだなのだろう

そればかりおもっていた

わたしの心はそのことでいっぱいになり

そしてちゅうがくせいのころ

ばらばらにくだけた

わたしの心に なん人ものわたしがうまれた

わたしのじんかくは

わたしだけのものでなくなってしまった

わたしであってわたしでない

とてもこんらんするまいにちがつづいた

そんなころに じをかくことをおぼえた

わたしにとって じがかけることは

いままでできなかったことの

なににもまさるよろこびだった

じをかけるようになり じぶんでないじんかくが

じぶんとして ひょうめんかしてきた

それはもともとのわたしにとっては

ものすごいきょうふだった

りょうしんは べつじんかくのわたしがかいたことを

わたしのことばとしてうけとめていた

それはわたしにとって

りょうしんがうらぎったこととおなじだった

どうにかして

いまのわたしをわかってほしかったが

どうにもできないひがつづいた

あるひ しょうがいしゃの人のかいたしが うたになり

人々にひろまっているニュースをみみにする

これだとおもった

じぶんのしにしてはなせば

べつのじんかくにもさとられなくてすむ

そうおもったそのひから

じぶんのしには じぶんのなまえでしょめいをし

べつのじんかくには べつのなまえでしょめいをした

するとわたしのしは じんかくによって

はっきりとちがいがあらわれた

こうげきてきなじんかく

こどものじんかく

そして わたしじしんのじんかく

どれもわたしであって わたしではなかった

しをかくにつれ

はりさけそうな心がかいほうされていった

なんぺんもかきつづけて からっぽになり

またすぐいっぱいになった

それがくりかえされ わたしは

べつじんかくとの
つきあいがわかってきた
しをかくと あいてのこともみえてきた
そしてあるひ そのたのじんかくはとざされた
それは まったくのじぶんじしんのしょうりだった
わたしはいま ひとりのじんかくとしていきている
それはたくさんのしをつづってきて
心をじぶんで はあくできたからだ
いま はたちのひをむかえることができたのは
たくさんのあいじょうにつつんでくれた
りょうしんのおかげであるのはもちろんのこと
たくさんのしが わたしじしんを
いかしてくれたということに ほかならない
しは わたしがいまのわたしになるための
たいせつなとおりみちだった
しをかくことは
わたしじしんをかいほうするこういだった

わたしのしをよむすべての人たちに
わたしがたちなおったように
あきらめずにいきてもらいたい

※ キム・ドンウク
　　お祝いの文の代わりとして、この詩を掲載しました。

차례 目次

제1부 일본 시인 편 / 第1部 日本の詩人編

제1부 일본 시인 편 / 第1部 日本の詩人編

- 호리에 나오코 / 堀江菜穂子
- 우에다 시케루 / 上田繁

호리에 나오코의 시
堀江菜穂子の詩

출처 : 시집 「살아 있기 때문에」, 선마크 출판사 (2017)

出典 : 詩集「いきていてこそ」、サンマーク出版社 (2017)

북쪽에서 들리는 소리

북쪽 하늘에서 들리는 소리를 향해
나는 외칩니다.
멋진 나라는 어디에 있나요?
아신다면 알려 주세요.
죄 많은 눈을 한 울보가 살 수 있는 나라는
어디에 있나요?
아신다면 알려 주세요.
애쓰고 있지만,
이 몸으로는 찾을 수 없어요.
어딘가엔 좋은 나라가
반드시 있다고 생각하지만,
희망의 나라를 찾을 수 없어요.
좋은 나라는 어디에 있나요?
북쪽으로부터 들리는 소리에
나는 묻습니다.
언제까지나.

호리에 나오꼬 시

※ 이 시는 호리에 나오꼬 시인의 생애 첫 시입니다

きたからのこえ

きたのそらからきこえている こえにむかって
わたしは さけぶ
すてきなくには どこにありますか
しっていたら おしえてください
つみぶかいめをした なきむしのすめるくには
どこにありますか
しっていたら おしえてください
くしんしているけど
このからだでは さがすことができません
きっといいくにが
どこかにあるとおもうのですが
きぼうのくには みつかりません
いいくには どこにありますか
きたのほうからきこえるこえに
わたしはたずねる
いつまでも

堀江菜穂子の詩

※ キム・ドンウク
　この詩は、詩人堀江菜穂子が初めて書いた詩です。

살아가고 있기에

지금 고통스러운 건
내 살아감의 증명이다

살아가고 있기에 고통을 안다
죽은 나의 친구는
이제 다시는 함께 고통을 느낄 수 없다

지금의 고통도 감동도
모든 것은 살아가고 있기에

어떤 고통스러운 현실이라도
멀어지지 않고 살아가리라

いきていてこそ

いまつらいのも
わたしがいきているしょうこだ

いきているから つらさがわかる
しんでいったともだちは
もうにどと ともにつらさをあじわえない

いまのつらさもかんどうも
すべてはいきていてこそ

どんなにつらいげんじつでも
はりついていきる

세상 속에서

이 넓은 세상 속에서
나는 오직 혼자일 뿐

많은 사람들 가운데
나와 같은 人간은
한 사람도 없다

나는 나일 뿐

그것이 나를 구속할지라도
나를 대신할 자 없기에

나는 나의 인생을
당당하게 살아가리

せかいのなかで

このひろいせかいのなかで
わたしはたったひとり

たくさんの人のなかで
わたしとおなじ人げんは
ひとりもいない

わたしはわたしだけ

それがどんなに ふじゆうだとしても
わたしのかわりは だれもいないのだから

わたしはわたしのじんせいを
どうどうといきる

문을 넘어서

문 저 너머가 잘 보이지 않는다
아마도 내가 모르는 세계
문을 열어볼 용기는 아직 없네

새로운 도전은
언제나 무서운 것
그 문을 열지 않는다면
절대 볼 수 없는 것이 있으니

지금 그 문을 열자

ドアのむこう

ドアのむこう よくみえない
きっとわたしが まだみぬせかい
ドアをあけるゆうきは まだない

あたらしいものにちょうせんするのは
いつも こわいことだから
そのドアをあけなければ
けっしてみることのできないことがある

いま そのドアをあけよう

감사의 시

언제나 많이 많이 고마워요

그렇게 쉽게 말할 수 없지만
언제나 마음에 넘쳐 흐르고 있어요

언제나 말하지 못한 감사함이
전하지 못하고 쌓이고 있어요

말하고 싶어도 말할 수 없는
감사의 덩어리가
눈에 보이지 않는 힘이 되어
당신의 행복이 된다면 좋을 텐데요

ありがとうのし

いつもいっぱい ありがとう

なかなかいえないけど
いつも心にあふれてる

いつもいえないありがとうが
いきばをうしなって たまっている

いいたくてもいえない
ありがとうのかたまりが
めにみえない力になって
あなたのしあわせになったら いいのにな

봄바람처럼

봄바람 가운데
나는 다시 태어나네
바람이 데려온 저편 공기가
나의 마음을 씻어주니

봄바람에 씻겨서
나는 조금 전의 나와는 완전 다른 사람으로
다시 태어나네
뒤돌아보니
옆에 있는 당신의 마음도 새롭게 되었네
역시 봄바람은
모두의 마음을 치유하네

はるかぜのように

はるかぜのなか

わたしはうまれかわる

かぜがつれてきた むこうのくうきが

わたしの心をあらうから

はるかぜにあらわれて

わたしはさっきとはまったくべつのひとに うまれ

かわる

ふりむいたら

そばにいたあなたの心も あたらしくなっていた

やっぱりはるかぜは

みんなにきくみたい

우에다 시케루의 시
上田繁の詩

도구

스스로 불을 피울 수 없기 때문에
성냥이나 라이터를 사용한다

시골에 살기 때문에
차를 타고 장을 보러 간다

연필을 깎을 수 없기 때문에
샤프펜슬을 사용한다

계산이 서투르기 때문에
전자계산기를 사용한다

멀어서 닿지 않기 때문에
매직핸드를 사용한다

자신의 발로 걸을 수 없기 때문에
휠체어를 사용한다

할 수 없는 것이 있으면
누구나 도구를 사용한다

불을 피우지 못해서
시골 생활을 하고 있어서
연필을 깎을 수 없어서
계산을 할 수 없어서
멀어서 닿지 않아서
장애인이라고 말하지 않을 거야

휠체어를 타고 어디든 갈 수 있어
휠체어를 타고 무엇이든 할 수 있어

上田驟の詩

나는 나 자신을
장애인이라고 말하지 않을 거야

道具

自分で火をおこせないから
マッチやライターを使う

田舎暮らしだから
自動車に乗ってお買い物

鉛筆を削れないから
シャープペンシルを使う

計算が苦手だから
電卓を使う

우에다 시게루의 시

遠くて届かないから
マジックハンドを使う

自分の足で歩けないから
車椅子を使う

できないことがあれば
誰でも道具を使うよね

火をおこせなくたって
田舎暮らししてたって
鉛筆を削れなくたって
計算ができなくたって
遠くて届かなくたって
障害者とは言わないさ

車椅子でどこでも行ける
車椅子でなんでもできる

ボクは自分を
障害者とは言わないさ

액세서리

내 휠체어를요
밀어주지 않아도
괜찮아요

밀어줘도요
기쁘지 않아요

나는 이 사람의 휠체어를 밀어주고 있어

나는 그런 어필을 위한
액세서리일 뿐이죠

アクセサリー

ボクの車椅子はね
押してくれなくて
大丈夫

押してくれてもね
嬉しくないよ

私はこの人の車椅子を押してあげてるのよ

そんなアピールのための
アクセサリーさボクは

上田繋の詩

고집

휠체어를 타기 시작했을 무렵
가게 앞에서 생각했었어

이 가게에 어떻게 들어갈까
들어가고 싶지만 어렵겠지

가게의 문은 나무로 만들어져 있고
문 앞까지 조금 거리가 있어서
또 혼자서 오르기 어려운 턱이 있어서
누가 도와주러 오지 않을까

인적이 드문 뒷골목의 찻집
도움을 기다리면 기다릴수록
점점 고집쟁이가 되어가는 나

아무도 도와주러 오지 않는구나
점점 마음을 닫는 나

그러는 동안 비극의 주인공을
연기하는 것이 지겨워져
길 가는 사람에게 말을 걸었다
가게에 전화를 하기도 했다

가게의 문이 열렸어
나의 마음도 열렸어

意固地

車椅子を使い始めた頃
お店の前で考えてたよ

このお店にどうやって入ろうか
入りたいけど難しいなぁ

お店のドアは木で出来ている
ドアの前まで少し距離がある
ひとりではキツイ段差がある
誰か助けに来てくれないかな

人通りの少ない路地裏喫茶店
助けを待っているうちに
意固地になっていくボク

誰も助けてくれないんだ
どんどん心を閉ざすボク

そのうち悲劇のヒーロー
演じることがつまらなくなった
道ゆく人に声をかけた
時にはお店に電話した

お店のドアが開いたよ
ボクの心も開いたよ

Family Man

그녀와 함께 쇼핑을 가면
오늘도 나는 상냥함 만점 짐꾼이야
마이 휠체어에 쇼핑백 가득 싣고
빈 그녀의 두 손엔 스마트폰과 아이스크림

의외로 멋진 라이프스타일인지도 모르겠네

우에다 시케루의 시

Family Man

彼女のショッピングに付き合ってさ
今日もボクは優しさ満点荷物持ちさ
マイ車椅子にひと袋ふた袋全て載せ
手ぶらの彼女は手にスマホとアイス

意外とカッコイイ生き方かもね

싫은 사람

회색 거리를 걸으면 싫은 사람과 만난다
어디를 가도 싫은 사람과 만난다

만난 건 그 사람이 아니라
그 사람의 흠을 찾는 싫은 나

나를 "마음의 병"으로 몰아넣는 것은 나
나를 "마음의 병"에 머물게 한 것도 나

그리고

나를 "마음의 병"에서 해방한 것도 나

벚꽃색 거리를 걸으면 사랑이 넘치는 사람을 만난다
노란색 거리를 걸으면 긍정적인 사람을 만난다

우에다 시게루의 시

嫌な人

灰色の街を歩けば嫌な人に出会う
どこに行ったって嫌な人に出会う

出会ったのはその人ではなくてね
その人のアラ探しをする嫌な自分

私を『心の病』に追い込んだのは私
私を『心の病』に留まらせたのも私

そして

私を『心の病』から解放したのも私

桜色の街を歩けば愛溢れる人に出会う
黄色の街を歩けば前向きな人に出会う

제2부 한국 시인 편 / 第2部 韓国の詩人編

- 김소영 / キム・ソヨン
- 유재필 / ユ・ジェピル
- 장효성 / チャン・ヒョソン
- 정상석 / チョン・サンソク
- 최명숙 / チェ・ミョンスク
- 홍현승 / ホン・ヒョンスン

김소영의 시

キム・ソヨンの詩

나만의 먼 곳 / 私だけの遠いところ

아기볼펜 똥 / 小さなボールペンのうんち

하늘을 잡아봤으면 / 空をつかんでみたら

시의 볼륨을 높이세요 / 詩のボリュームを上げてください

두근두근 설렘 / どきどきときめき

나만의 먼 곳

아무리 가까운 데 있어도
나한테는 머나먼 길
님 있는 곳에 있어도
점점 멀어져가는
발자국이 흙으로 덮인다

햇살이 눈이 부시도록
저 아름다운 세상 속으로
걸어가고 싶다

남아있는 내 발자국
하나씩 하나씩
새기고 싶다

기다리는 아픔이
헛된 꿈이 되지 않기를
바라며

私だけの遠いところ

どんなに近いところにいても
私にとっては遠い道
あなたのいるところにいても
少しづつ遠ざかって
土で足あとが覆われる

日差しがまぶしいくらい
あの美しい世界の中に
歩いて行きたい

残る私の足あと
ひとつひとつ
残したい

待つ痛みが
からっぽな夢にならないよう
願って

キム・ソヨンの詩

아기볼펜 똥

아기별이 매일 볼펜똥
그림을 그리지
하루는 달을 그리면
동그랗게 나오지

파란 볼펜 빨간 펜
똥으로 그림을 그리네
하얀 백지에
무슨 그림을 그릴까

알록달록 색깔을 입고서
볼펜 똥을 싸고 있네
뿌지직 뿌지직
볼펜 똥을 싸고 있네

김소영의 시

아기별은 매일
엄마한테 혼나지
볼펜 똥 그리고 있다고

그래도 나는 볼펜 똥
그리는 게 좋아
매일 볼펜 똥 그리지

시를 쓰고 그림도 그리고
내 삶의 그림을 그리지

小さなボールペンのうんち

小さな星が毎日ボールペンのうんちの
絵を描く
ある日　月を描くと
丸く出てきた

青いボールペン赤いペン
インクのうんちで絵を描く
白い紙に
何を描こう

カラフルな色をまとって
ボールペンのうんちをしているね
ブリブリ
ボールペンのうんちをしているね

小さな星は毎日
おかあさんに怒られる
ボールペンのうんちを描いてると

それでも私はボールペンのうんちを
描くのがすき
毎日ボールペンのうんちを描く

詩を書いて　絵も描いて
私の生の絵を描こう

キム・ソヨンの詩

하늘을 잡아봤으면

너는 하늘을 잡아봤니
하늘을 잡으면 어떤 느낌이 일까

봉실봉실 솜 아니면
푹신푹신한 침대처럼 일까
알록달록 색깔을 칠하면
어떤 느낌이 나올까

한번 칠해보면
환한 엄마 얼굴이
나오네

하늘을 잡으면 그 자리에서
나는 잠이 들거야

따뜻한 솜사탕처럼
달콤하게

한번만
하늘을 잡아봤으면

空をつかんでみたら

君は空をつかんでみたか
空をつかむってどんな感じなんだろう

ふわふわした綿
それともふかふかのベッドのように
カラフルに色を塗れば
どんな感じになるのかな

いちど塗ってみたら
明るい母の顔が
あらわれた

空をつかめばその場所で
私は眠りにつくだろう

あたたかい綿菓子のように
甘く

一度だけ
空をつかんだら

キム・ソヨンの詩

시의 볼륨을 높이세요

아름다운 음악처럼
시 낭송을 높이세요

글 속을 찾아다니는
여행을 눈으로 높이세요
우리 작은 미래 속으로
떠나는 연습으로
눈을 높이세요

그리고
현실과 과거를 잊지 말고
새롭게 찾아가는 꿈으로 높이세요

그리고
시를 음악처럼 볼륨을 높이세요
우리 삶도 볼륨을 높여요

詩のボリュームを上げてください

美しい音楽のように
詩の朗読を高めてください

文の中を探して歩く
旅行を目で高めてください
私たちの小さな未来の中へ
旅立つための練習で
目を高めてください

そして
現実と過去を忘れずに
新しく訪れる夢を高めてください

そして
詩を音楽のようにボリュームを上げてください
私たちの人生もボリュームが高まります

두근두근 설렘

나의 그 사람이랑
나는 지금 여행을 가는 중

기차를 타고
살며시 내어준 그의 어깨에 기대
스르르 잠이 들고

그 사람 내 머리를
사르르 넘겨주며
살며시 키스를 하네

나는 가슴이 콩닥콩닥
뛰기 시작했지

내 가슴 주체할 수 없어
그랑 화들짝 키스하고 말았어

나는 그새 얼굴이 붉어져
어쩔 줄 몰라 휙 돌아섰지

지난 밤 아름다운 꿈들로
자꾸만 그 사람
보고파지는 하루입니다

どきどきときめき

私のあの人と
私は今旅行中

汽車に乗って
そっと出してくれた彼の肩にもたれかかり
うとうと眠って

あの人は私の頭に
そっと触れて
そっとキスをする

私の胸はドキドキして
走り出した

私の心はどうすることもできなくて
かっとなって彼にキスしてしまった

私の顔は赤くなって
どうしていいのかわからずにくるりと背を向けた

昨日の夜の美しい夢
しきりにあの人に
会いたくなる日です

유재필의 시

ユ・ジェピルの詩

꿈

나에게 꿈이 있네
그 꿈은 장애우들을 돕고
장애우가 살기 좋은 곳을 만드는 것

그들의 아픔과 어려움을 알기에
그들에게 희망이 되고 싶네

내가 그 꿈을 위해 항상 부처님께 발원하며
밝고 건강하게 살아가려 하네

살아가면서 힘과 용기가 되는 꿈
네가 있어 내 미래는 밝네

夢

私には夢がある
その夢は障がい者を助け
障がい者が住みやすい場所を作ること

彼らの痛みと苦しさを知っているから
彼らの希望になりたい

私がその夢のためにいつも仏様に願いながら
明るく元気に生きていこう

生きて力と勇気になる夢
君がいる僕の未来は明るい

ユ・ジェビルの詩

쓸쓸한 가을

가을이 오네요
외로운 가을에는 사랑하는 사람
생겼으면 좋겠습니다.

이번 가을에는 사랑하는 사람과
단풍놀이하고 싶네요.

아직은 사랑하는 사람이 안 생겨 외롭지만
가을이 가기 전에 사랑하는 사람을 만날 수 있을까?

淋しい秋

秋が来ます
寂しい秋には愛する人が
できるといいです

今年の秋には愛する人と
紅葉狩りに行きたいな

まだ愛する人がいなくて淋しいですが
秋が終わる前に愛する人に出会えるかな

밤 풍경

아주 조용한 가을밤 하늘을 올려 보니
둥근 대보름달이 비추고 있다네

아~ 아름다운 가을밤 풍경
내 머리 속에 그림 한 장으로 그려지네

그림 속 풍경 알록달록 고운 옷
이 밤에 생각이 나네

잊지 못할 밤 풍경이여
내 가슴속에 그림 한 장 밤에 생각해 보니
그림 한 장처럼 아름답게 보이네!

우계편의 시

夜の風景

とても静かな秋の夜空を見上げてみると
丸い大きな満月が輝いている

あぁ美しい秋の夜の風景
僕の頭の中に絵が一枚描かれている

絵の中の風景　色とりどりの美しい服
この夜に思い出す

忘れられない夜の風景よ
私の胸の中に一枚の絵　考えてみると
一枚の絵のように美しく見えるね

겨울의 풍경

이제부터 겨울이라네
겨울이 오면 하얗고 반짝이는 설탕 눈이 와요

먹으면 달콤할 것 같은 눈
그 눈을 뭉쳐 달콤한 눈사람 두 개 만들어
달콤한 사랑 하고 싶네
눈사람들같이 이 겨울이 끝나기 전에
사랑하는 사람을 사귈 수 있을까?

冬の風景

これから冬だね
冬が来ると白く輝く粉雪が降る

食べると甘そうな雪
その雪をひとつにして甘い雪だるまをふたつ作って
甘い恋がしたい
雪だるまとこの冬が終わる前に
愛する人と一緒になれるかな

나는 감사합니다

나는 감사합니다. 생각할 수 있으니
나는 감사합니다. 볼 수 있는 두 눈이 있으니
나는 감사합니다. 잘은 쓰지 못하지만 두 팔이 있어 혼자
먹을 수 있으니
나는 감사합니다. 잘 못 걷지만 두 다리가 있으니
나는 감사합니다. 모든 소리를 들을 수 있는 두 귀가 있으니
나는 감사합니다. 말은 잘 못 해도 말할 수 있으니
나는 감사합니다. 비틀어진 몸이지만 오장육부가 건강하니
나는 감사합니다. 무더운 여름을 시원하게 지낼 수 있으니
나는 감사합니다. 이 추운 겨울에도 따뜻하게 지낼 수 있으니
나는 감사합니다. 사계절이 있어 봄에는 벚꽃을 볼 수 있으니
나는 감사합니다. 사계절이 있어 여름에는 푸른 바다를 볼
수 있으니
나는 감사합니다. 사계절이 있어 가을에는 단풍잎을 볼 수
있으니
나는 감사합니다. 사계절이 있어 겨울에는 하얀 눈을 볼 수
있으니

무제들의 시

나는 감사합니다. 자유가 있는 땅에서 태어났으니
나는 감사합니다. 나의 마음속에 부처님이 먼저 오셨으니
나는 감사합니다. 사랑하는 사람을 위해 선물을 사줄 수
있으니
나는 감사합니다. 사랑할 수 있는 사람들이 있으니
나는 감사합니다. 이 얼마나 감사한 일인지
나는 예전엔 알지 못했다네.
보고 듣고 말하고 생각하고 혼자 움직이고
이 얼마나 감사한 일인데 전에는 깨닫지 못했네!
이렇게 글로 쓸 수 있어서 더욱 감사 합니다.
그것도 입도 아닌 발도 아닌 손으로 글을 써서 나는 감사
합니다.
이 모든 것들이 감사할 조건인데 왜 나는 감사하지 못
했나. 여태까지
이제는 깨달았네! 나한테도 감사할 것이 아주 많다는
것을.

ユ・ジェピンの詩

私は感謝します

私は感謝します　考えられるから

私は感謝します　見える目があるから

私は感謝します　上手には書けないけど両手で一人で
食べられるから

私は感謝します　うまく歩けないけど両足があるから

私は感謝します　音が聴こえる両耳があるから

私は感謝します　話は下手くそでも話せるから

私は感謝します　曲がった体でも五臓六腑は元気だから

私は感謝します　暑い夏を涼しく過ごせるから

私は感謝します　この寒い冬でも暖かく過ごせるから

私は感謝します　四季があって春には桜を見れるから

私は感謝します　四季があって夏には青い海を見れる
から

私は感謝します　四季があって秋には紅葉を見れるから

私は感謝します　四季があって冬には白い雪を見れる
から

私は感謝します　自由のある地で生まれたから

私は感謝します　私の心の中に仏様が先にいらっし
ゃったから
私は感謝します　愛する人のために贈り物をあげら
れるから
私は感謝します　愛する人たちがいるから
私は感謝します　何と有り難いことか
私は今まで分からずにいた
見たり聞いたり話したり考えたり一人で動いたり
何て有り難いことなのに今まで分からなかったんだ
このように文を書くことができてとても感謝します
それも口でもなく足でもない手で文を書けることに
感謝します
このすべてが感謝すべきことなのに　どうして私は
感謝できなかったのか　今まで
今は分かる　私にも感謝したいことがたくさんある
ということを

장효성의 시
チャン・ヒョソンの詩

해바라기 1

이제
더 이상
좁은 공간이 싫어
담 너머
마을을 바라본다.

삶이 있는
참세상이 보고 싶어
울타리 밖으로 고개를 내밀고,
바로 보기 위하여
해를
우러르지 않고
앞을 바라본다.

이제
더 이상
높고 넓기만 한
저 하늘이 싫어
차라리
삶을 바라본다.

ひまわり1

もう
これ以上
狭い空間が嫌いだ
塀の向こう
街を眺める

生きた
ほんとうの世界が見たい
垣根の外顔を出して
まっすぐ見るために
太陽を
仰がず
前を眺める

もう
これ以上
高く広いだけの
あの空が嫌いだ
いっそのこと
人生を眺める

부추

가녀린 게 아니다.
가냘프긴 가냘퍼
바람이 불면
부는 대로,
햇볕이 내리쬐면
내리쬐는 대로
낮추었다가 일어설 때면
하늘을 찌를 듯 ―
머리엔
어느 색보다 강인한
하얀 응어리를 인
너,
사랑같이 유연(悠然)한 여인이여.

ニラ

弱々しいんじゃない

きゃしゃなことはきしゃだ

風が吹けば

吹くままに

日が照れば

照るままに

垂れて立ち上がったら

天を突くように——

根っこには

どの色よりも強靭な

白い塊をつけた

お前

愛の如き悠然たる女よ

가을 풍경

파란 하늘
아래

빈 들녘은
여기저기 볏단

새들은
낟알을 쪼고

어디선가
들리는
탈곡기 소리

한숨인 듯
담배만 피우며
논둑에 마냥
앉은
농부.

秋の風景

青空の
下

空っぽの平野は
あちらこちらに稲束

鳥たちは
米粒をついばんで

どこからか
聞こえる
脱穀機の音

ため息をするように
タバコばかりを吸う
田畑にずっと
たたずむ
農夫

단풍잎

고이 접어
계절 속에
묻어두겠습니다.
시간이 흐른
어느 가을날,
누군가 무심히
이 길을 걷다
곱게 채색된
작은 사연 하나
살짝 엿본대도
부끄러워하거나
노여워하지 마십시오.

もみじの葉

大切にたたんで
季節の中に
埋めておきます
時が流れた
ある秋の日
誰かが無心に
この道を歩く
美しく彩られた
小さな物語がひとつ
そっとのぞいても
恥ずかしがったり
怒らないでください

내 멍에

어제 같은 오늘
오늘 같은 내일

주어진 시간
지워진 바랑

퍼석퍼석
보슬보슬

널브린 원고지
팽개친 필기구

엎치락뒤치락
아등바등

세 평짜리 공간
쳇바퀴 돌 듯

내일 같은 오늘
오늘 같은 어제

私のくびき

昨日のような今日
今日のような明日

与えられた時間
消えた望み

かさかさ
ぼろぼろ

広く散らばった原稿用紙
投げ捨てた筆記具

二転三転
じたばた

三坪の空間

堂々めぐりをするように

明日のような今日

今日のような昨日

정상석의 시
チョン・サンソクの詩

내가 아는 아이 중에

내가 아는 아이 중에
눈빛이 맑은 아이가 있다.

몸은 비록 자유롭지 않지만
마음만큼은 자유로운 아이.

그래서 나를 주눅 들게 하는
나보다 나인 어리지만

삶이 무엇인지 너무 일찍 알아버린
그 아이를 인터넷을 통해
처음 사진을 보았을 때

얼굴에 코를 가리고 있는 마스크가
자기 생명을 지켜주고 있다는
자존심 강하지만 약한 그 아이.

나는 그 아이가 부럽다.

적어도 영혼만큼은

저 하늘 멀리 날아가는

새처럼 자유로운 그 아이가...

私が知っている子どものなかに

私が知っている子供のなかに
目の色の澄んだ子どもがいる

体は自由じゃないけれど
心だけは自由な子

だから私は気後れする
私より歳は幼いが

人生が何なのかをあまりにも早くに知った
その子をネットで
初めて写真を見たときに

顔にある鼻を覆うマスクが
自分の命を守ってくれているという
自尊心が強いが弱いあの子

私はその子がうらやましい
少なくとも魂だけは
あの空を遠く飛んでいく
鳥のように自由なあの子が…

설날

새해 아침 하늘에서 첫인사로
하얗게 내리기 시작한 그것이
우리 아주 어린 시절 살던
정든 동네에도 내리고 있는지.

희망찬 새해 소망 가득 담은
떡국에서 모락모락 김이 오르면
나이 한 살 더 먹은 우리들은
조상님들께 정성으로 차례 지내고
어른들께 세배 드리곤 했었지.

우리가 세배 드리면
어른들은 새해 건강하라는
덕담과 함께 우리들에게
미리 설날 전에 은행에서

신권으로 바꿔오신 **뻣뻣**한
천 원짜리 종이돈을
세뱃돈으로 주시곤 하셨지.

새해 아침 하늘에서 첫인사로
소담스레 내리기 시작한 그것이
우리 아주 어린 시절 살던
오막살이에도 내리고 있는지.

お正月

新年の朝　空からの初めてのあいさつに
白く降り出したそれが
わたしたちが幼い頃住んでいた
住み慣れた町にも降っているのだろうか

希望に満ちた新年の願いを込めた
トッククからゆらゆらと湯気がのぼる
ひとつ年を取った私たちは
ご先祖様に真心を込めて祭祀をして
大人たちに新年のあいさつをした

私たちが新年のあいさつをすると
大人たちは今年も健康でいなさいと
徳談とともに私たちに
前もって正月前に銀行で

新札に変えてきたピンとした
千ウォン札を
お年玉にくれたりした

空からの初めてのあいさつに
美しく降り出したそれが
わたしたちが幼い頃住んでいた
あばら家にも降っているのだろうか

바보야

바보야
너는 아직 저 푸른 하늘을
날아오를 준비가 덜 되었잖니!
바보야
너는 아직 저 밝게만 보이는 세상 밖으로
나가고 싶은 불안한 영혼이잖니!
그러나, 이것만은 명심해다오!
저 밝게만 보이는 세상 길을 가다 보면
아직 포장이 되지 않은
울퉁불퉁한 자갈길이 나올 수도 있고

때로는 돌뿌리에 걸려 넘어져
너의 몸이 피투성이가 될 수도 있단다!

그리고 더러는 너의 어리숙함을
이용해 이득을 보려는
나쁜 이들을 만날 수도 있음을!!!

馬鹿め

馬鹿め

君はまだあの青空を

飛び立つ準備ができてないじゃないか

馬鹿め

君はまだあの明るく見える世界の外に

飛び出したい不安な魂じゃないか

だが　これだけは肝に銘じてくれ

あの明るく見える世界の道を進んでみれば

まだ舗装されていない

でこぼこのじゃり道があらわれるかもしれない

時には石につまずいて転んで

君の体が血まみれになることもあるんだよ

そして時々君の愚かさを

利用して利を得ようとする

悪い人たちに会うこともあるんだからね

살다 보면 잊혀지는 그리움

가슴 속에서 지우려 해도
자꾸 떠오르는 얼굴이 있다.
살다 보면 저절로 잊혀지는 것이
떠난 사람의 얼굴이라지만
나에게는 자다가도
자꾸 떠오르는 얼굴이 있다.

기억 속에서 문뜩 떠오르면
눈물 먼저 나는 모습이 있다.
살다 보면 저 멀리 잊혀지는 것이
떠난 사람의 모습이라지만
나에게는 어둠 속에서
눈물 먼저 나는 모습이 있다.

흐린 하늘 말없이 바라보면
마음 아파 오는 얘기가 있다.
살다 보면 자연히 잊혀지는 것이
떠난 사람의 얘기라지만
나에게는 슬픈 강물같이
마음 아파 오는 얘기가 있다.

生きていれば忘れられる恋しさ

心の中から消そうとしても
しきりに思い出す顔がある
生きていれば自然に忘れられるものが
去った人の顔なのに
私には寝ても
しきりに思い出す顔がある

記憶の中からふと思い浮かび
涙が先に出る面影がある
生きていればはるか彼方に忘れられるものが
去った人の姿だというが
私には闇の中で
涙が先に出る面影がある

曇った空を黙って眺めていると
心が痛む話がある
生きていれば自然に忘れられるものが
去った人の話だというが
私には悲しい川の水のように
心が痛む話がある

어느 가난한 자의 노래

우리에겐 어렸을 때부터
소망하는 것이 하나 있었지.

길고 긴 가난의 터널을 벗어나고자
이른 봄부터 뙤약볕이 내리쬐는
뜨거운 여름날을 묵묵히 견뎌가며
우린 열심히 각자 맡은 일에
최선을 다했던 것이지.

그러나 행복만을 위해 달려가던
우리 앞날을 시샘하듯
먹구름이 밀려왔고 우리 가슴에서
타인을 배려하는
착한 심성마저 사라졌다네.

그렇지만 우린 우리들의 미래를
도저히 포기할 수 없었다네.

그래서 힘들지만
절망 대신 희망을 생각하려고
그동안 아래로 숙여져 있던
고개를 바로 세우고
환하게 웃고 있는 것이라네.

ある貧しい者の歌

私たちには幼い頃から
願い事がひとつあったんだ

長く貧しいトンネルから抜け出そうと
春の初めから日差しが降り注ぐ
暑い夏の日を黙々と耐え
私たちは一生懸命　それぞれの任されたことに
できる限りを尽くした

でも幸せのためだけに走っていた
私たちの未来を妬むように
暗雲が押し寄せ　私たちの心から
人を思いやる
やさしさまでが消えたんだ

정상석의 스

でも私たちは私たちの未来を
どうしても諦められなかったんだ

だから大変だけど
絶望の代わりに希望を考えようと
いままでうつむいていた
頭を真っすぐにして
明るく笑っているんだよ

하늘을 사랑할 수 있다면

아무리 쓸쓸해도 나는 좋아
아무리 눈물나도 나는 좋아
하늘을 사랑할 수 있다면.
하늘을 사랑하면서
아름다운 시를 쓸 수 있다면.

아무리 헐벗어도 나는 좋아
아무리 가난해도 나는 좋아
하늘을 바라볼 수 있디면.
하늘을 바라보면서
사람다운 삶을 살아갈 수 있다면.

아무리 힘들어도 나는 좋아
아무리 배고파도 나는 좋아
하늘을 안아볼 수 있다면.
하늘을 품에 안고서
고운 님 환한 미소로 노래할 수 있다면...

空を愛せたら

どんなに寂しくても私はいい
いくら涙を流しても私はいい
空を愛せたら
空を愛しながら
美しい詩が書けたら

どんなぼろをまとっても私はいい
どんなに貧しくても私はいい
空を眺めることができるなら
空を見上げながら
人間らしい人生を生きていくことができるなら

どんなに大変でも私はいい
どんなに腹がすいても私はいい
空を抱くことができるなら
空をむねに抱いて
かがやく明るい笑顔で歌えるなら…

최명숙의 시

チェ・ミョンスクの詩

너

말하지 않아도 거기 있다
쪽빛 하늘처럼
있음을 알면 기다리지 않아도 온다
영롱한 아침처럼

가고 오는 것을 봄에 올곧이 흔들리지 않는다
금강송처럼

온 곳이 있어 가는 곳이 있으니
가도 가도 여여히 섰다
유유히 흐르는 저녁 강처럼

君

言わずともそこにある
藍色の空のように
あるということを知れば待たずとも来る
輝く朝のように

来て去るものを春の真っすぐで揺るがぬ
金剛松のように

来るところがあるから過ぎ去るところがある
過ぎても過ぎてもあるがままに
悠々と流れる夕ぐれの川のように

심검당 살구꽃

노스님이 심검당 댓돌에 앉아 넋 놓고 앉았더니
몇 해 피지 않았던 살구꽃이 환히 피었다

대적광전의 잔잔하던 목탁소리 그치고
사람들은 산 아래로 내려갔다

간혹 바람이 불어 살구나무를 흔들어대고
해는 서산을 넘어간다 하고
대웅전 범자문 지붕 위로 낮달이 올라왔다

땅거미를 부르고 어둠을 놓고 날아가는 저녁새는
심검당 노스님의 오도송을 물고 숲으로 들어갔다

달빛은 밤 깊도록 부는 바람과 놀고 나서
누구를 향해서인지는 알 수 없으나 삼배를 하였다

최명숙의 시

스님은 어디 가셨는지 살구꽃만 져서
심검당 뜰이 온통 하얀데
바람은 꽃잎을 떨구고 어디로 갔나
꽃은 지는데 아무도 없다

尋剣堂の杏の花

老僧が尋剣堂の石に腰をおろしてぼうっとしていた
ら
何年も咲かなかった杏の花が見事に咲いた

大寂光殿から穏やかな木魚の音がやみ
人々は山のふもとに下りて行く

時折風が吹いて杏の木を揺らし
口は西の山を越え
大雄殿の梵字の瓦の上には昼の月が昇っている

夕暮れをつれて暗闇へと飛んで行く鳥は
尋剣堂の老僧の松をくわえ森に入って行った

月明かりは夜が更けるまで吹く風と遊んでから
誰に向かってか三拝をした

僧はどこへ行ったのか杏の花だけ散って

尋剣堂の庭一面は白いのに

風は花弁を落としどこへ行ったのか

花は散り誰もいない

할미꽃과 바람

-서운암 -

봄이라도 햇살이 그리 필요하지 않아
키 작은 내가 마른 나뭇가지 지팡이 삼아
봄이 온 것을 볼 수 있으면 돼
아기별꽃아 왔구나
봄까치꽃아 늦지 않고 피었구나
나룻배 타고 강 건너온 바람은
어디로 갔니

꼬부라진 내 허리 밑에 앉아
내 자줏빛 한숨을 들어줄 바람이야

한 아이에게 들은 내 꽃말과 전설을
알고 싶어 하고
바위 틈에 피거나 무명의 무덤가에 핀
나에게서 슬픔을 보고 허망한 소식 기다리다

저리 피었다 하는 소문 같은 거리의 소식을
전해 주었어

바람은 날아가는 새를 불러
너무 많이 사랑하여 꽃잎 떨구지 못하고
자줏빛 한숨으로 하르르 저버리는
내 영혼의 이야기를 들려주었어
산 넘어 가서 기다리다 진 소식을
전해달라 했어

翁草と風

– 瑞雲庵 –

春だからと日差しはそれほどいらない
背の低い私が枯れた木の枝を杖にして
春が来たのが分かればいい
ハコベの花よ　よく来たね
イヌフグリの花よ　遅れずに咲いたね
渡し船に乗って川を渡って来た風は
どこへ行ったのか

曲がった私の腰のとなりに座って
私の紫色のため息を聞いておくれ

ある子から聞いた私の花言葉と伝説を
知りたがって
岩の間に咲いたり　無名の墓のとなりに咲く
私からの悲しくて空しい知らせを待つ

최명숙의 시

こんなに咲いたと噂のような町の便りを
伝えてくれた

風は飛ぶ鳥をつれて
とても愛しいので花びらを落とすことができずに
紫色のため息でぽろっと落ちた
私の魂の話を聞かせてくれたね
山を越えて待つ散った便りを
伝えてくれと言った

チェ・ミョンスクの詩

봄밤

목련은 피고
달빛은 환한데
오늘밤 꿈길에서도
서성일 그대 그림자

언제까지 기다리려나
바람에 흔들리는 꽃잎이
그립디 그리운 그대같아
마음의 문 열고 나섭니다

어두운 밤길
오시는 길을 잃을까
그리 잊을까
별마다 사랑을 달아
그대 앞에 뿌리었습니다

흰 멧새가 울고
바람은 고요한데
순간의 기억 속에서
들리는 그대 노래들

할 말은 떠오르지 않아
어둠 속에 지는 별들이
잊어도 못 잊을 그대여서
잠 못 들고 밤을 셉니다

어딘가 거기
그대가 저물지 못할까
그리 그리울까
못다 부른 노래를 모아
그대에게 전합니다

목련이 지고 새가 날아가도

그대 잊지 마시오

별마다 뿌린 사랑을

못다 부른 우리 노래를

春の夜

木蓮は咲き
月の光は明るく
今宵夢路でも
歩く君の影

いつまで待つのだろう
風に揺れる花びらが
懐かしい君のように
心の扉を開けています

暗い夜道
帰り道に迷うだろうか
あえて忘れるだろうか
星ごとに愛をかがけ
君の前にまきました

白いホオジロが鳴き

風は穏やかで

一瞬の記憶の中で

聞こえる君の歌

言いたいことは浮かばず

闇に沈む星たちが

忘れたくても忘れられない君だから

眠れない夜を数えています

どこかで

日が暮れ

とても恋しい

歌い残した歌を集めて

あなたに伝えます

木蓮が散り鳥が飛んでも

忘れないでください

星々にまいた愛を

歌い残した私たちの歌を

어떤 어머니

암자를 내려오는 길에는
봄눈이 내렸습니다

삼월 한낮 뜬금없이 내리는 봄눈에게
생강나무 노란 꽃은
가다 말고 왜 돌아왔느냐고 묻고
옷깃으로 스며드는 바람은
휘휘 돌며 장난을 칩니다
뒤따라오는 안심당 풍경소리는
어제 저녁나절 노을에 젖던 시간을 기억해
눈 사이에 풀어놓았습니다

스님께서 내리시는 찻물 소리
돌아가는 세상사에 관한 나의 푸념과
사람이기에 어찌 못할 것에 관하여 나눴던 언어들은

풍경의 손을 놓고 내 손을 잡았습니다
넉넉지 않은 살림에 절로 보낸 아들은
먹빛 옷이 빛나는 오십여 년 수행자의 길을 가며
산 아래 집은 잊은 듯 살았습니다

어느 날 구순 넘은 어머니는 아들을 찾아와
내복 한 벌 제대로 사주지 못한 게 아프고 아팠다고
칠순 가까운 아들의 손에 구겨진 봉투 하나를 쥐어
주었습니다

아들은 오랜 수행의 길에서도 어머니에 대한 그리움은
어찌하지 못하였노라고 말하지 않았습니다
때가 되면 어머니 곁이 그리운 적이 참 많았다고
말하지 않았습니다

어제 저녁 이야기를 다 들은 풍경소리가
암자로 돌아가 안 들릴 때까지
봄눈은 그치질 않았습니다

그칠 줄 모르는 눈은
기도하고 내려가는 노보살을
바라보는 아들의 그리움으로 쌓이다가
가슴으로 들어와 눈물로 녹았습니다

하얀 풀섶에도 방울방울 눈물이 맺혔습니다
그리고 눈송이보다 작은 아가별꽃 무리지어 핀
산길 입구에 다다랐을 때 눈은 그쳤습니다

ある母

庵から帰る道には
春の雪が降りました

三月の真昼　急に降ってきた春の雪に
檀香梅の黄色い花は
どうして帰ってきたのかと尋ね
襟へと染みこんでくる風は
ぐるぐると回りながらいたずらをします
後からついてくる安心堂の風鈴の音は
昨日の夕焼けの時を思い出し
雪の間に広がっていきました

お坊さんの淹れるお茶の音
いつもの世事に対する私の愚痴と
人ゆえにどうすることもできないと分かち合った言
葉は

風景の手を放し私の手を握りました
豊かでない暮らしを寺で送った息子は
墨色の服が輝く五十年余りを修行の道で歩み
山の麓にある家は忘れたかのようにしていました

ある日　九十を過ぎた母は息子を訪ね
下着の一枚でも買ってあげられなかったのが辛かっ
たと
七十近い息子の手にしわくちゃの封筒を一つ握らせ
ました

息子は長い修行の道を歩むとき母への思いを
忘れることができなかったとは言いませんでした
時に母のそばが恋しくてたまらなかったとは
言いませんでした

夕べの話を聞き終えた風鈴の音が
庵で聞こえなくなるまで
春の雪は降り続きました

絶え間なく降る雪は
祈祷を終え帰る老信女を
見つめる息子の思いが募って
胸に入り涙でとけました

白くなった草にもぽたぽた涙がにじんでいました
そして雪の花より小さいハコベの花が咲く
山道の入り口に着いたとき　雪はやみました

홍현승의 시
ホン・ヒョンスンの詩

오직 할 뿐

씨를 심어 싹이 트고
줄기가 올라와 잎이 돋고
꽃이 되어
무럭무럭 자랄 때

주변의 꽃들도
그랬다

나올 자리가 없어
옆을 비집고 나와도
늘 그랬던 것처럼 나는
묵묵히 자랐다

내 주위 잡초들이 풍성해도
개의치 않고 나대로
이 땅
이 흙에서
그렇게 그렇게
커갈 뿐이었다

바람이 몰아치고
비가 내려도

오직 이 자리에서
세월의 흐름만 탔을 뿐이다

ただやるだけ

種をまいて芽が出て
茎が伸びて葉が茂り
花になって
すくすくと育つ時

周りの花たちも
そうだった

出る幕がなかった
横からかきわけて出ても
それが当たり前かのように私は
黙々と育った

私の周りの雑草が豊かでも

気にも留めず私なりに

この地

この土から

そんなふうに

大きくなるだけだった

風が吹きつけて

雨が降っても

ただこの場所で

歳月の流れにいるだけ

색종이로 접는 세상

알록달록
여러 색종이로
세상을 접는다면
어떤 세상이 나올까

초록색으로 나무 한 그루 심어
오가는 사람들이
잠시 쉬는 그늘을 만들고

흰색으로 가로등을 세워
어둠 밝히고

분홍색으로
작은 집을 지어
고단함을 내려놓고

하늘색으로
넓은 하늘을 만들어
언제나 날아다니는
자유를 선물하고 싶어

그렇게
그렇게
누구 하나 고민 없이
즐겁게 웃음 짓는 세상을
곱게 곱게 접을 거야

折り紙で折る世界

色とりどり
色とりどりの紙で
世界を折ったら
どんな世界になるだろう

緑色で一本の木を植え
行き交う人々が
しばらく休む木陰を作って

白で街灯を立て
暗やみを照らして

ピンクで
小さな家を建て
疲れをいやし

空色で
大空をつくり
いつか飛び回る
自由を贈りたい

こんな
こんな
だれひとり悩むことなく
楽しそうにほほえんでいる
世界を美しく折るつもりだよ

살인

인도의 성인이 당부하시되,
입은 도끼,
말은 칼 한 자루라고 말하고
또 말씀하셨지만

세상은 입이 표현이라고 하고
말 한마디가 자유라고 하네

입이 꽃이고
말이 솜 한 가락이라고 하지만

그 꽃에 가시가 돋고
솜 한 가락에 칼날이 도사리는
정글

정글에서 그 가시와 칼날에
누군가는 베어지고 있다

殺人

インドの聖人が言い残した
口は斧
言葉は刀一振りと
さらに言うことには

世の中は口が表現だと言って
言葉が自由だと言う

口が花で
言葉はひとつの綿だとしても

その花にとげが生えて
ひとつの綿に刃がひそむ
ジャングル

ジャングルでそのトゲと刃に
誰かは斬られている

날개

저 푸른 하늘 날고 싶어
힘찬 날개
펼쳐봅니다

퍼드덕 퍼드덕

저 높은 곳을 오르려
두 날개 펴지만
정말
저 하늘 오를 수 있을까

꼭 높은 하늘만이
좋은 세상 아니라고
사람들은 다독이지만

그곳만이 희망과 평화 있어
오늘도 하늘 향해 두 날개
펼쳐봅니다

퍼드덕 퍼드덕

翼

あの青空を飛びたい
力強く翼
広げてみます

バタバタ

あの高いところに行こうと
ふたつの羽を広げるが
本当に
あの空に行けるかな

高い空だけが
いいところじゃないと
人は慰めるけど

そこだけに希望と平和があって
今日も空に向かってふたつの翼
広げてみます

バタバタ

시계의 삶

시계가 나에게 말을 건다

난 오늘만 힘차게 도는 게 아니야
어제도 그랬고
너 티브이 볼 때도
컴퓨터를 할 때도 또 내일도
건전지가 닳는 그 순간까지
어제처럼, 지금처럼 돌 거야
누가 보든 말든
누가 듣든 말든
이 소리
이 속도로

時計の人生

時計が私に話しかける

わたしは今日だけ力強く回るんじゃない
昨日もそうだったし
おまえがテレビを見る時も
パソコンをする時もまた明日も
電池が切れるその瞬間まで
昨日みたいに　今みたいに回るよ
誰が見ようが　見まいが
だれが聞こうが　聞くまいが
この音
この速度で

시집에 참여한 사람들
詩集に参加した人々

참여시인 소개 / 参加詩人の紹介

번역, 번역 감수 / 翻訳, 翻訳監修

섭외・지원 / 渉外・支援

후원 / スポンサー

보리수아래 소개 / 菩提樹の下の紹介

■ 참여시인 소개 / 参加詩人の紹介

• 호리에 나오코

　堀江菜穂子

- 1994년10월19일, 이바라키현 쓰치우라시(茨城県土浦市) 출생. 출산 중 산소 부족로 인해 뇌성마비(사지체간기능 장애, 아테토시스(athotosis)&경직형)가 된다.
- 1995년, 아버지의 전근으로 도쿄로 이주하다.
- 1998년, 전문병원에 통원하기 시작하다.
- 2001년, 도쿄 도립 특별지원학교(초등학부, 중등학부, 고등학부)에 입학
- 거동을 못하여 어머니와 함께 그림일기를 쓰고 낭독을 듣는 나날을 보냈다.
- 2007년, 자립 지원을 목표로 하는 자주 그룹에 참가, PC를 사용한 의사 표시에 도전(오십음도표에서 히라가나를 선택하는 방법)
- 2008년12월, 컴퓨터로 최초의 시 「북쪽에서 들리는 소리」 창작
- 2013년, 특별지원학교 졸업
- 2015년4월, 성인식에 나들이 옷(하레끼, 晴れ着)을 입고 참가한 것이 계기가 되어 시가 아사히 신문에 소개되다. ※하레끼(晴れ着): 후리소데 振(り)袖라고도 하며 일본 나들이 전통의상으로 착용이 복잡하여 휠체어를 탄 상태에서 착용은 쉽지않다. (편집자 주석)
- 2015년7월, 첫 시집 「벚꽃의 소리」 (NPO법인 • 간토 시니어 라이프 어드바이저 협회)를 발행하다.
- 2017년6월, 선마크 출판사에서 시집 「살아 있기 때문에」를 발행하다.

- 1994年10月19日、茨城県土浦市で生まれる。出産時の酸素不足により脳性麻痺（四肢体幹機能障害、アテトーゼ＆痙直型）となる
- 1995年、父の転勤により東京に転居する
- 1998年、専門病院内の通園に通い始める
- 2001年、都立の特別支援校（小学部・中学部、高等部）に入学
- 寝たきり生活のため、母と一緒に絵日記を書いたり、朗読を聞いたりする日々を過ごしていた
- 2007年、自立支援を目指す自主グループに参加、パソコンを使っての意志表示に挑戦（五十音表からひらがなを拾い出す方法）
- 2008年12月、パソコンで最初の詩「きたからのこえ」を創作
- 2013年、特別支援校を卒業
- 2015年4月、成人式の晴れ着姿をきっかけに、詩が朝日新聞で紹介される
- 2015年7月、最初の詩集「さくらのこえ」（NPO法人・関東シニアライフアドバイザー協会）を発行する
- 2017年6月、サンマーク出版から詩集「いきていてこそ」を発行する

• 우에다 시케루

上田繁

이름: 스콧 조플린 (素骨董序步林) / 본명: 우에다 시게루 (上田繁)

 루이카츠(涙活)송라이터, 사진시인가, 소설가

 신감각【휠체어 댄서】

 즐거운 휠체어 생활 제안

 휠체어 쓰레기 줍기 자원봉사(PloggerOnWheelChair)

(전)중복장애 크리에이터: 스콧 조플린 (素骨董序步林)

- 1963년 일본 동경 출생
- 난치병[척수소뇌변성증] 휠체어 유저
- (전)발달장애 그레이 존(Gray Zone)
- HSP(Highly Sensitive Person, 병이나 장애가 아닙니다.)
- (전)은둔형 외톨이 (은둔형 외톨이 3회, 총 10년)
- 우울신경증
- 초등학교 체벌 서바이버 (5학년 때 1년간 거의 매일. 아마도 선택적 함구증이 원인)
- 소아 천식 서바이버
- 경도 과식증 극복
- MtX

名前：素骨董序歩林（すこっとじょぷりん）／本名：上田繁

 涙活ソングライター、写真詩人、小説家

 新感覚【車椅子ダンサー】

 楽しい車椅子生活提案

 車椅子ゴミ拾いボランティア(PloggerOnWheelChair)

『元』重複障害のクリエイター：素骨董序歩林（すこっとじょ
　ぷりん）です

１９６３年、日本東京出身

－ 難病【脊髄小脳変性症】の車椅子ユーザー

－ 元発達障害グレーゾーン

－ ＨＳＰ(Highly Sensitive Person。病気や障害ではありません)

－ 元ひきこもり（ひきこもり３回。トータル１０年）

－ 抑鬱神経症

－ 小学校体罰サバイバー（５年生の１年間ほぼ毎日。おそらく
　場面緘黙が原因）

－ 小児喘息サバイバー

－ 軽度過食症克服

－ MtX

• 김소영

キム・ソヨン

– 뇌병변장애

– 시인, 작사가

– 노원중증장애인자립생활센터에 근무

– 보리수아래 핀 연꽃들의 노래 공연 다수 참여

– 보리수아래 10주년 기념 공동시집에 참여

– 보리수아래 음반 3-5집에 작사가로 참여

– 脳病変障がい

– 詩人、作詞家

– 蘆原重症障がい者独立生活センターに勤務
  (http://www.nwil.org/)

– 公演「菩提樹の下で咲いた蓮の花の歌」多数参加

– 菩提樹の下10周年記念共同詩集に参加

– 菩提樹の下アルバム３集〜５集に作詞家として参加

• 유재필

　　ユ・ジェピル

– 뇌병변장애
– 보리수아래 핀 연꽃들의 노래 공연에서 시 발표

– 脳病変障がい
– 公演「菩提樹の下で咲いた蓮の花の歌」にて詩を発表

• 장효성

チャン・ヒョソン

- 부산출생, 뇌병변장애
- 새세대육영회작품공모전 문예부문 장려상
- 장애문학전문지 솟대문학 시 3회 추천
- 한국뇌성마비복지회 시와 음악이 있는 가을 오후의 만남 시낭송
  3회 참여
- 보리수아래 핀 연꽃들의 노래 음반 "시, 그대 노래로 피어나다"
  작사가로 참여
- 시집「그리운 기다림, 기다린 그리움」

- 釜山生まれ、脳病変障がい
- 新世代育英会作品公募展文芸部門奨励賞
- 障がい文学専門誌「ソッテ文学」詩3回推薦
- 韓国脳性麻痺福祉会詩朗読「詩と音楽がある秋の午後の出会
  い」3回参加
- 菩提樹の下で咲いた蓮の花の歌のアルバム「詩、君の歌で咲
  く」に作詞家として参加
- 詩集「懐かしい待つこと、待つことの懐かしさ」

• 정상석

チョン・サンソク

- 시인, 작사가
- 한국장애인예술인협회 회원
- 수상 : 춘천시장애인문학상 수기부문 우수상
- 춘천시민상 장애극복 부문, 부처님오신 날 불자 대상
- KBS 제3라디오 사랑의 소리 방송 "내일을 위하여" 프로그램 로고송 작사
- 장애인자립생활 정보공유 인터넷 카페 "푸른 내일" 운영
- 뇌성마비시인들의 시낭송회 5회 참가
- 보리수아래 핀 연꽃들의 노래" 공연과 음반제작 참여
- 시집 「하늘을 사랑 할 수 있다면」「아침 강가에서」「새벽이 오는 소리」
- 詩人、作詞家
- 韓国障がい者芸術家協会会員
- 受賞:春川市障がい者文学賞手記部門優秀賞
- 春川市民賞障がい克服部門、釈迦誕生日仏教徒大賞
- KBS第3ラジオ愛の声放送「明日のために」番組ログソング作詞
- 障がい者自立生活情報共有インターネットカフェ「青い明日」運営
- 脳性麻痺市民の詩朗読会に5回参加
- 「菩提樹の下で咲いた蓮の花の歌」公演とアルバム制作
- 詩集「に空を愛せたら」「朝の川辺で」「夜明けの音」

• 최명숙

チェ・ミョンスク

- 강원도 춘천 출생
- 시와 비평 신인상으로 등단
- 한국문인협회 회원, 현대불교문인협회, 국제문단 회원
- 전) 한국뇌성마비복지회 홍보팀장
- 현) 보리수아래 대표, 도서출판 도반 편집주간
- 좋은장애인자립생활센터 운영위원장
- 한국뇌성마비복지회 뇌성마비시인들의 시낭송회 주관(2001~
  2015년)
- 보리수아래 '보리수아래 핀 연꽃들의 노래' 개최 및 음반 제작
  (2007년~현재)
- 수상 : 장애인의 날 대통령상. 구상솟대문학상, 대한민국장애인
  문화예술대상 국무총리상
- 시집 「인연 밖에서 보다」「마음이 마음에게」「따뜻한 손을 잡았네」
  「산수유 노란 은행나무 숲길을 가다」 외

- 江原道春川生まれ

- 「詩と批評」新人賞で登壇

- 韓国文人協会会員、現代仏教文人協会、国際文壇会員

- 前 韓国脳性麻痺福祉会広報チーム長

- 現 菩提樹の下代表、図書出版「道伴」編集主幹

- チョウン障がい者自立生活センター運営委員長

- 韓国脳性麻痺福祉会脳性麻痺市民の詩朗読会主管(2001年〜
  2015年)

- 菩提樹の下「菩提樹の下に咲いた蓮の花の歌」開催及びアル
  バム制作(2007年〜現在)

- 受賞:「障がい者の日」大統領賞、具常ソッテ文学賞、大韓
  民国障がい者文化芸術大賞国務総理賞

- 詩集「縁の外から見る」「心が心に」「あったかい手を握っ
  たね」「サンシュユ黄色いイチョウの森の道を行く」ほか

• 홍현승

ホン・ヒョンスン

- 시인, 작사가
- 불교와 문화예술이 있는 장애인들의 모임 보리수아래 회원
- 2014년 조계종 신행수기 우수상
- 2015년 대한민국장애인문학상 시부문 우수상
- 2017년 아시아 장애인 공동시집 『빵 한 개와 칼 한 자루』 한국-
  미얀마 편에 참여
- 보리수아래 10주년 기념 공동 시집 『단 하나의 이유까지』 에 참
  여
- 보리수아래 음반 〈꽃과 별과 시〉 등 1-5집 작사가로 참여
- 시집 「등대」

- 詩人、作詞家
- 仏教と文化芸術がある障がい者の会「菩提樹の下」会員
- 2014年曹渓宗信行手記優秀賞
- 2015年大韓民国障がい者文学賞詩部門優秀賞
- 2017年アジア障がい者共同詩集「パン一つとナイフ1本」韓
  国・ミャンマー編参加
- 菩提樹の下10周年記念共同詩集「たったひとつの理由まで」
  参加
- 菩提樹の下アルバム「花と星と詩」など1集〜5集に作詞家
  として参加
- 詩集「灯台」

■ **번역** / 翻訳

• 코마츠 에리코

　小松絵理子

– E-mail : takuwang@gmail.com
– 일본 무사시노미술대학 졸업
– 서울대학교 대학원 졸업
– 저는 이번 한일공동시집의 번역을 진행하며 여러 색깔로 빛나는
　"말의 보석"을 만났습니다.

– 日本 武蔵野美術大学 卒業
– ソウル大学校 大学院 卒業
– 今回の詩のお手伝いで、いろいろな色で力強く輝く言葉の宝
　石に出会えました。

■ 번역 감수 / 翻訳監修

• 고나현
コ・ナヒョン

- E-mail : soall125@naver.com
- 盡人事待天命 진인사대천명을 모토로 살고 있는 번역가입니다.

- 「盡人事待天命」人事を尽くして天命を待つをモットーとして生きている翻訳家です。

• 서민우
ソ・ミンウ

- E-mail : silence1209@naver.com
- 1992년생, 일본어 번역가
- 2020년은 전 세계 많은 사람들에게 힘든 한 해인 것 같습니다. 다가오는 2021년은 모두가 웃을 수 있는 한 해였으면 좋겠습니다.

- 1992年生まれ 日本語翻訳家
- 2020年は世界の多くの人々にとって大変な一年だったように思います。21年はみんなが笑顔になれる一年になればと思います。

■ 섭외 · 지원 / 渉外 · 支援

· 김동욱

キム・ドンウク

- E-mail : charlie.keem@gmail.com
- 應無所主 而生其心 "마땅히 집착없이 그 마음을 내어야 한다."
- 応無所住 而生其心「応に住する所無うして其の心を生ず」

· 노원석

ノ・ウォンソク

- E-mail : david.roh@nl-hd.com
- 주식회사 네스터링홀딩스 한국지사 부지사장
- 문학계의 Global Barrier Free 실현을 위해
- 株式会社ネットラーニングホールディングスの韓国支社副支
  社長
- 文学界のグローバルバリアフリー Global Barrier Freeの実現
  に向けて

■ 후원 / スポンサー

문화체육관광부
문화체육관광부 /文化体育観光部

한국장애인문화예술원
한국장애인문화예술원 / 韓国障害者文化芸術院

보리수아래

비영리단체

Since 2005

음악으로, 문학으로 나와, 세계와 소통하는 보리수 아래

음악과 문학으로 통하는 보리수 아래

보리수 아래

창립: 2005년 7월
장애인 문화 예술 활동

□ 장애인의 문학 창작 활동 지원 (강연, 창작 모임 등)

□ 장애인의 문화 예술 창작 발표 활동 (음악회, 음반 제작, 출판 사업 등)

□ 장애인 사회복지 사업 (의료 지원, 구직 지원, 사회 참여, 장애인 인권 옹호)

□ 국제 장애인 문화 교류 사업 (공동 문학 단행본 출간, 공동 음악회, 교류회 등 해외 장애인 예술문화교류사업)

□ 기타 유관 단체와 교류 협력 증진 및 문화활동 참여 . 공동 사업 개최

'보리수아래'는 장애인들의 제한된 문화 활동과 이를 통한 삶의 질 고양을 목적으로 2005년 7월 설립된 비영리 단체 입니다. 현재 400여명의 장애인, 일반인들이 함께 활동하고 있습니다. 특히, **문학과 음악을 중심으로** 문화예술 활동에 참여하고자 하는 장애인들의 활동을 지원하고 그들의 재능을 발휘할 수 있는 기회를 제공하고 있습니다. 이러한 문화 활동을 통한 사회 참여를 통해 재활이지를 고양하고, 장애에 대한 일반인의 이해 증진과 협력을 도모하고 있습니다. 보리수 아래는 평범한 장애인들이 일상의 문예 창작, 음악 활동을 통해 삶의 의미를 찾고 이러한 발견을 세계 여러 나라의 장애인 및 일반인들과 공유하고자 하는 목표도 가지고 있습니다. 장애인 및 가족의 전반적인 문화복지와 재활 복지를 실현하여 동등한 사회 구성원으로 더불어 사는 사회를 만드는데 이바지하고자 합니다.

보리수 아래

非営利団体
菩提樹 の下

Since 2005　　　　　　　　　　　　音楽と文学で世界と対話する障がい者団体、菩提樹

音楽と文学で伝える

菩提樹の下

「菩提樹の下」活動

創立：平成17年7月
障害者文化芸術活動

□障がい者の文学創作活動支
援（講演、創作サークル運営
など）

□障がい者の文化芸術創作発
表活動(音楽会、レコード制
作、出版事業など）

□障がい者社会福祉事業(医療
支援、求職支援、社会参加、
障がい者のための人権擁護）

□国際障がい者文化交流事業
（共同文学単行本の出版、共
同音楽会、交流会など海外の

「菩提樹の下」は、障がい者の限られた文化活動とそれを通して生活の質の
向上を目的に平成17年7月に設立された非営利団体です。現在約400人
の障がい者と一般人が共に活動を行っています。特に、文学と音楽を中心に
文化芸術活動に参加したいと願う障がい者の活動を支援し、彼らの才能を
発揮できる機会を提供しています。このような文化活動と社会参加を通して
リハビリへの意欲を高め、障がいに対する一般人の理解増進と協力を図って
おります。菩提樹の下には普通の障がい者が日頃の文芸創作や音楽活動
を通して生きる意味を見い出し、このような発見や気付きを世界各国の障が
い者や一般人と共有しようという目標もあります。障がい者と家族の全般的
な文化福祉とリハビリテーション福祉を実現し、平等な社会構成員として共に
生きる社会づくりに貢献しようと取り組んでいます。

菩提樹の下　　　　　　　　　　　　　　　　　　　　　　　　　　　1

초판발행일	2020년 11월 16일
저자	최명숙 • 호리에 나오코 외
펴낸곳	도서출판 도반
펴낸이	이상미
편집	김광호, 이상미
대표전화	031-465-1285
이메일	dobanbooks@naver.com
홈페이지	http://dobanbooks.co.kr
주소	경기도 안양시 만안구 안양로 332번길 32